Petit Manuel
Technologique des Glaces
Pour Innover

Rédaction
Direction artistique et mise page

Berry Farah
berryfarah.com

Photo

Photo 89050361 © stockcreations | Dreamstime.com

Photo 5182972 © Elena Elisseeva | Dreamstime.com

© Berry Farah, 2021
© Éditions Berry Farah, 2021
Dépôt légal : Bibliothèque et Archives nationales du Québec, 2021
Dépôt légal : Bibliothèque et Archives Canada, 2021

ISBN :978-2-9818491-9-9

Pourquoi un
fascicule sur les glaces ?

De nos jours, la glace artisanale a le vent en poupe. De plus en plus de personnes ont le désir d'ouvrir une glacerie. Fabriquer une glace paraît a priori simple, mais cela requiert un certain nombre de connaissances technologiques pour obtenir le résultat désiré. La glace est un produit assez normé dont les règles ont été établies au début du XXe siècle. Tandis que la glace, jusqu'alors un plaisir gastronomique, se démocratise, particulièrement aux États unis, l'industrie définit des règles, fruit de la recherche scientifique. Vers la fin des années 1970, en France, l'artisanat va s'approprier ces façons de faire. Les jaunes d'œufs vont perdre leur place, la poudre de lait va s'imposer et les stabilisateurs vont entrer dans la composition des glaces artisanales. Il n'existe presque pas de livres technologiques sur les glaces en France. Seule une formation permet d'acquérir les connaissances requises.

Avec le XXIe siècle, grâce à internet, l'ouverture sur le monde permet à beaucoup de professionnels d'avoir recours aux ouvrages technologiques anglais sur les glaces, Ces livres ont souvent une approche scientifique, basée le plus souvent sur une réalité industrielle. Cependant, les glaciers d'aujourd'hui veulent se distinguer et se détacher de ce que l'industrie a imposé. Malheureusement, l'artisanat n'a jamais créé de centre de recherche destiné à développer son identité technologique et technique. C'est pourquoi, comme je l'ai fait pour la pâtisserie, j'ai décidé de poser un regard nouveau sur la technologie de la glace en proposant une approche qui permet à l'artisanat d'imaginer l'avenir différemment.

Glace et nutrition

Dans les années 1980, l'industrie alimentaire a pris de plus en plus d'essor. La montée du libéralisme a de plus en plus, valorisé le profit au dépens de la qualité et favorisé une production de masse. Ces excès font en sorte que, de nos jours, les mangeurs que nous sommes se sont révoltés contre une nourriture bon marché et de mauvaise qualité même si l'industrie n'est pas monolithique et que l'on retrouve toujours de l'excellente qualité. À cela s'est joint tout un courant idéologique, hygiéniste et écologiste, qui a provoqué un désir de retour vers le passé, voyant dans le progrès le responsable des dérives de nos sociétés. Ces courants ont créé toute une orthodoxie dans nos comportements et nos façons de manger. Ainsi, nous avons vu émerger une science de la nutrition (motivée plus souvent par l'idéologie que par la rigueur scientifique). D'ailleurs, un grand nombre d'études, pourtant validées par leur pairs, n'ont pas de bases solides. La nutrition est devenue une religion. D'ailleurs, l'un des éminents chercheurs américains de Stanford John Ioannidis invite à réformer la science de la nutrition. Pire encore, toute une frange des médias s'est engouffrée dans cette chasse à la nourriture impure pour convertir les mangeurs afin qu'ils épousent le bien-manger. C'est à coup de documentaires-chocs, qu'elle a procédé. Cependant, la rigueur de l'information laisse parfois à désirer, et la nuance n'est plus à l'ordre du jour. Le plus souvent, il y a une ignorance historique et technologique, ainsi qu'un manque de discernement, qui ne permettent d'aucune façon de mettre les faits en perspective. C'est ainsi que l'on oublie que le raffinage du sucre date du XVIIIe siècle, et que depuis cette époque le sucre blanc est sur nos tables. De même que le glucose que l'on voudrait supprimer, car selon ces biens- pensants ce serait un produit transformé. Pourtant, il existe depuis le XVIIIe siècle. Sans lui point de confiseries, car il a vertu d'empêcher le saccharose de cristalliser et à la glace d'être dure comme un morceau de bois. Toute chose peut être un poison ; tout dépend la quantité que l'on consomme. Il faut apprendre à en faire bon usage.

Ce courant a inévitablement touché le monde de la glace qui a voulu écarter le sucre blanc d'autant plus que la science a imposé un indice glycémique qui a bouleversé notre point de vue sur notre façon de manger. Pourtant cet indice n'a aucune valeur scientifique, pas plus que la charge glycémique. L'étude qui a donné vie à l'indice glycémique dans les années 1980 n'aurait sans doute jamais été reconnue de nos jours tant elle comporte des biais et se base sur un faible échantillonnage. Qu'importe, elle est devenue comme bien d'autres indices, un indice de référence alors même que de nouvelles études montrent de plus en plus son incohérence. Ainsi on a voulu remplacer le saccharose, par le fructose, ou les polyols. Pourtant, le fructose, en excès, est souvent pointé du doigt dans les problèmes de la stéatose hépatique non alcoolique, appelé couramment la maladie du foie gras, même si les effets délétères du fructose sont sujets à controverse. De même que les polyols peuvent provoquer des dérangements intestinaux et que certaines personnes sont intolérantes au sorbitol qui est très utilisé. Mais comme cela ne suffisait pas, les fibres, devenues le nouvel Eldorado, se sont introduites partout sous forme de poudres, y compris dans les glaces. J'invite à la très grande prudence les concernant. Nous n'avons pas suffisamment de recul sur leurs effets à long terme. De plus, il y a un risque dû à l'effet cumulatif tant ils sont présents dans de nombreux produits, d'autant plus qu'ils sont combinés aux fibres que nous mangeons. Ssans parler des compléments que certains peuvent prendre. Il y a de quoi retourner nos intestins. Pour ceux qui veulent avoir une vue d'ensemble sur les fibres, et comprendre comment nous les digérons et leurs effets sur notre santé je vous invite à lire l'étude suivante : « Fiber and colorectal diseases: Separating fact from fiction Kok-Yang Tan, Francis Seow-Choen . »

La glace est un produit de plaisir. Pourquoi vouloir en faire un produit diététique ? Pour être à la mode du bien manger et plaire au nutrionniste ? La glace perdrait alors son identité. Il suffit de voir ce qu'a fait le Nutriscore, outil de mesure français instauré pour évaluer la qualité nutritionnelle des produits industriels, sur les glaces. Pour avoir une bonne note, en l'occurrence B, voilà à ce à quoi la glace va ressembler :

eau, fibre soluble de maïs, sucre, graisses végétales (colza, karité), fèves de SOJA décortiquées (6,1 %), sirop de fructose-glucose, graines de vanille (0,03 %), sel marin, stabilisants (farine de graines de caroube, gomme guar), correcteur d'acidité (acide citrique), arôme naturel, émulsifiant (mono- et diglycérides d'acides gras).

Est-ce encore de la glace ? En nutrition, on n'est plus à une absurdité près. Le mauvais score de la glace vient en grande partie de la matière grasse saturée. Vous savez de quoi il s'agit, la matière grasse saturée ? Moi, je l'ignore. La matière grasse saturée, ce n'est pas une entité figée. C'est une entité complexe composée de différents acides gras, qui ont chacun leur particularité. On ne peut pas en faire une généralité. Qui plus est elles font partie de matrices alimentaires qui influencent, d'autant plus, leur comportement. Je ne rentrerais pas en détail dans le sujet au risque de m'épancher sur de nombreuses pages. La nutrition est trop complexe pour en faire une caricature.

Il est impératif que la glace reste un produit de plaisir qui conserve toutes les qualités, qui font son charme, et ne pas céder à un courant hygiéniste qui finira par mettre en danger la raison et le plaisir au profit de règles dont nul ne sait si demain elles ne seront pas contestées ou accusées de nous avoir éconduit. Tout est une question d'équilibre dans la vie.

Science,
technologie et techniques

Pour comprendre ma démarche, il est important que l'on fasse bien la distinction entre science, technologie et technique.

Science

Le mot science est défini de plus d'une manière dans le dictionnaire. C'est la raison pour laquelle j'ai choisi la définition du Robert.

Science : connaissance exacte, universelle et vérifiable exprimée par les lois.

Lorsqu'on fait de la science, on cherche à expliquer des phénomènes particuliers en formulant des hypothèses que l'on soumet à différentes expériences pour infirmer ou confirmer les hypothèses de base.

Technologie et technique

La langue française est parfois complexe et verbeuse lorsqu'on cherche à avoir une définition claire du vocabulaire lié directement aux sciences et aux techniques. C'est la raison pour laquelle j'ai choisi de donner la définition du mot technologie du dictionnaire anglais et ma propre définition du mot technique.

Technologie : elle fait référence aux méthodes, aux systèmes et aux dispositifs résultant des connaissances scientifiques afin d'être utilisés à des fins pratiques.

Technique : c'est la mise en application de manière pratique de méthodes développées par la technologie

L'important pour un glacier, c'est de comprendre ce qui se passe dans sa glace, les causes de ces phénomènes et comment développer des méthodes pour éviter les écueils et obtenir les meilleurs résultats.

La théorie sur les glaces est nouvelle. Elle date du milieu du XXe siècle. Ce qui a été développé dans ce domaine est basé, certes, sur des études scientifiques, mais aussi et surtout sur une vision bien définie de ce qu'est une glace en tenant compte d'une réalité industrielle. Il est donc tout à fait possible d'envisager une autre vision, plus adaptée à la réalité artisanale basée sur une nouvelle approche quitte à casser les codes qui définissent la glace depuis les années 1960 - 1970. Sachez qu'il n'y a pas de vérité absolue. La chose la plus importante est d'arriver à se libérer des dogmes, qui nous tiennent prisonniers, pour nous permettre d'imaginer ce qui n'avait pas pu l'être jusqu'à présent.

Le but de cet ouvrage est de développer une nouvelle approche technologique des glaces.

Les produits glacés
tout une histoire

La glace est vieille comme le monde, dit-on. On prétend que Néron allait faire chercher de la glace sur les sommets des montagnes pour la mélanger avec des fruits et du miel. Je me méfie de toutes ces légendes. Je préfère m'en tenir uniquement aux faits. Mes recherches ont pris forme avec le XVIIIe siècle où le fromage glacé, qui est à l'origine, et à la fois l'ancêtre de la glace et du bavarois, m'a conduit à regarder comment il est traduit dans les dictionnaires de Latin. Fromage glacé, en latin, c'est glaciatus. En cherchant plus loin, glaciatus est souvent associé au café (Glaciatus Cafeus) au XVIe siècle. Aurions-nous là la première glace au café ? En continuant ma recherche, je tombe sur un ouvrage de 1543 consacré au lait. Il est fait mention de fromage glacé (Glaciatus caseus) bien parfumé. On a là sans doute les prémices de ce que sera la glace. Mais revenons au XVIIIe siècle. C'est dans un magnifique ouvrage de 1734 que l'on retrouve le fromage glacé, qui est un mélange de lait, de crème et de sucre, auquel on ajoute du zeste de citron. On arrête la cuisson dès que le produit épaissit et on le verse dans un moule de fer blanc avant d'être mis dans un baquet rempli de glace. Une fois la préparation durcie, le fromage glacé est démoulé en chauffant le moule en fer blanc. Il est servi sur une assiette de porcelaine. Dans ce même ouvrage, on découvre aussi la crème à l'angloise, la fameuse crème anglaise, qui est faite de pistaches et de fleur d'oranger. Même la crème au chocolat est présente. Elle ressemble à une ganache à la crème anglaise. En 1768, «l'art de bien faire les glaces d'office » est sans doute le premier ouvrage sur le sujet. On y retrouve les premières glaces à la vanille ainsi que les premières mousses de chocolat. C'est le XIXe siècle qui va faire émerger un nombre considérable de produits glacés. Ainsi, le soufflé glacé, le parfait et l'appareil à bombe, pour ne que citer les plus connus, voient le jour.

Quant au sorbet, dont le nom d'origine est arabe, Sherbet, c'était au XVIIe siècle une boisson fruitée appréciée par les Turcs et les Perses. D'ailleurs en anglais le mot Sherbet a été conservé. Il désigne souvent des glaces aux fruits. Ce n'est que vers la fin du XIXe siècle que l'on voit apparaître pour la première fois un sorbet qui se rapproche de celui que nous connaissons.

Pour en savoir davantage sur l'histoire de Procope qui a introduit la glace en France, je vous invite à lire mon livre Restauration Historique des Bases de la Pâtisserie Française.

La glace

Qu'est-ce que qu'une glace ?

C'est un produit crémeux et sucré dont la congélation lui procure sa solidité et participe à sa structure.

Glace est le terme utilisé en France, mais qui ailleurs dans la francophonie peut être appelé « crème glacée » traduction littérale de l'anglais « ice-cream », terme qui me paraît plus approprié. Selon la législation française glace et crème glacée sont deux produits distinctes. Glace est le nom générique et crème glacée désigne les glaces réalisées à partir uniquement de matière grasse laitière.

Si le terme glace est associé à une glace dure, il existe aussi une glace « molle », comme on l'appelle au Québec, traduction littérale de l'anglais, « soft ice-cream », et en France « glace italienne » qui n'a pourtant aucune relation avec l'Italie. Cette glace est servie directement à la sortie de la turbine.

La glace connaît au XIXe des déclinaisons. La bombe glacée, le soufflé glacé, le parfaits et les biscuits glacés connurent leurs heures de gloire jusqu'à dans les années 1980. Ces produits sont aujourd'hui oubliés.

Qu'est-ce qu'une bonne glace ?

Voilà une question polémique puisque goûts et couleurs ne se discutent pas, dit-on. En fait, le goût est propre à chaque individu. Par contre, la texture est importante, car elle définit le goût, je préfère d'ailleurs parler d'harmonie. Même si la saveur ne nous plaît pas, on peut apprécier la délicatesse du produit. Cette délicatesse est ce qui rend le produit universel et qui touche la sensibilité des uns et des autres. C'est d'ailleurs cela qui fait qu'une musique devient un succès mondial.

Nous savons que, dans les glaces, le gras a un rôle fondamental dans la texture et la saveur, principalement la matière grasse butyrique. Paradoxalement, en pâtisserie la matière grasse est bien présente parfois même trop présente alors qu'en glacerie on fait preuve de timidité. Souvent, j'ai vu des glaces avec 5% ou 6% de matière grasse butyrique ce qui est vraiment peu. En Amérique du Nord, de tels produits ne pourraient pas s'appeler glace. En réalité, la matière grasse est essentielle pour la structure et la texture du produit plus encore si l'on ne veut pas augmenter la quantité de sucre et de stabilisant. L'autre point est la quantité de sucre des glaces. Bien souvent, les glaces sont trop sucrées. Si le sucre est nécessaire, il ne faut pas non plus qu'il vienne rompre l'harmonie de la préparation. Enfin, l'onctuosité que peut apporter la matière grasse est sublimée par les jaunes d'œufs quoique l'on en dise. Certes de nos jours, ils ont été oubliés, et l'onctuosité est apportée par des stabilisants qui ont la fâcheuse tendance à séquestrer les saveurs. Une glace, sans des stabilisants, a peut-être moins de structure, mais davantage de saveur.

La structure d'une glace

Une glace, c'est une émulsion foisonnée, qui devient un solide au froid.

L'émulsion dans la glace

Ce sont les protéines laitières qui permettent au lait comme à la crème d'être une émulsion. C'est-à-dire la crème et le lait sont déjà des émulsions stables et la poudre de lait ajoutée dans la glace ne fait que renforcer la structure. En réalité, la poudre de lait n'est pas nécessaire. Son rôle est davantage celui d'agent de foisonnement et d'agent de structure, pour stabiliser la glace et renforcer la structure.

À titre de rappel : Les lipides et l'eau sont non miscibles. C'est-à-dire qu'ils ne peuvent pas se mélanger. La matière grasse va remonter en surface lorsqu'elle sera mélangée à l'eau. Cependant, la présence d'un émulsifiant comme le jaune d'œuf permet à l'huile de se disperser en gouttelettes et rester en suspension dans l'eau. C'est ce que l'on appelle une émulsion. (pour plus de détails, voir volume 1 de la pâtisserie du XXIe siècle)

Ce qui signifie que, dans le lait et la crème, la présence des protéines laitières permet à la matière grasse du lait de se disperser dans l'eau du lait pour former une émulsion.

Dans ce cas pour quelle raison a-t-on besoin d'un émulsifiant dans une glace ?

Pour comprendre son rôle, il faut comprendre d'abord comme une crème fouettée se stabilise lorsqu'on la fait mousser.

En fouettant la crème, cela permet de faire entrer de l'air. Autour de ces bulles d'air vont se positionner les globules de matière grasse. Pour que cette structure soit suffisamment solide pour préserver ces bulles d'air, il faut qu'il y ait coalescence partielle de la matière grasse. Lorsque deux gouttelettes viennent se toucher pour en former une plus grosse, on parle de coalescence. Dans le cas de la crème fouettée, on ne souhaite pas que la coalescence se produise de manière pleine et entière sinon nous n'aurions pas la structure nécessaire. La température qui va influencer la cristallisation de la matière grasse, va permettre de maintenir cette coalescence partielle des globules de matière grasse qui vont former une chaîne autour des bulles d'air et préserver la structure aérée à la crème fouettée.

Seulement dans une glace, les protéines en grande quantité viennent se disposer autour des globules de matière grasse et empêchent la coalescence de se produire. L'émulsion peut être alors trop stable. Ceci a pour conséquence que l'air présent dans la glace sera moins stable et la texture est moins agréable. D'autre part si l'émulsifiant est en trop grande quantité ou si les protéines ne sont pas présentes en quantité suffisante la coalescence n'est plus partielle, les globules de matières grasses sont plus grandes et la glace aura une texture grasse en bouche.

Alors combien de protéines sont nécessaires pour ne pas avoir besoin d'émulsifiant? Si l'on se base sur la crème fouettée, 2.2% de protéines suffiraient, mais il ne faut pas perdre de vue que la crème fouettée a aussi beaucoup de matière grasse, ce qui aura une certaine influence. Dans une glace, la quantité de protéines varie entre 3% et 4%. Dans ce cas, la quantité d'émulsifiant va varier entre 0.1% et 0.3% selon l'émulsifiant choisi. Selon l'équilibre de la recette, l'émulsifiant ne serait pas nécessaire si l'extrait sec est suffisant, au moins 36%, et que les protéines ne sont pas plus élevées que 3%. Ne perdez pas de vue que l'équilibre émulsifiant/protéine pourrait avoir de l'influence sur le foisonnement. Ces équilibres sont fragiles, seuls des tests en fonction de votre recette permettront de prendre la bonne décision en fonction des caractéristiques sensorielles et structurelles de votre glace. Hier, les jaunes d'œufs remplaçaient à la fois la poudre de lait et l'émulsifiant. L'œuf reste toujours un excellent atout, mais aussi l'isolat de lactosérum offre d'intéressantes perspectives (voir glace expérimentale) car il permettrait de jouer un double rôle, celui d'émulsifiant et de stabilisateur.

Petit rappel : la poudre de lait est constituée principalement de lactose et de protéines (36%),. Si la protéine a un rôle important, pour la stabilité du mélange et le foisonnement, le lactose n'est qu'un ingrédient de charge dont on pourrait se passer s'il n'était pas là pour combler la matière sèche manquante.

L'homogénisation

Le lait et la crème sont des émulsions qui ont été homogénéisées, ce qui leur confère une certaine stabilité. Il faut comprendre, qu'une émulsion du type mayonnaise est stable surtout du fait que la quantité de matière grasse est beaucoup plus importante que la quantité d'eau. Tandis que si l'on essaye de produire une émulsion comprenant 8 % de matière grasse et 64 % d'eau en utilisant des protéines laitières ou même un jaune d'œuf comme émulsifiant notre émulsion ne sera pas stable dans le temps, il faut un travail mécanique important pour arriver à apporter de la cohésion comme l'homogénéisation.

La pertinence d'homogénéiser une glace artisanale plus ou moins riche en matière grasse butyrique mérite d'être posée. Certains scientifiques jugent que cela n'est pas nécessaire, plus encore si la quantité de matière grasse est élevée (supérieur à 10 %) d'autant plus que le lait et la crème utilisés sont déjà homogénéisés. Dans certains cas, comme dans l'ajout de beurre, ou dans des glaces aux pralinés ou au chocolat, elle pourrait être utile pour stabiliser la préparation, affiner la texture et influencer les saveurs. L'homogoénisation permet aussi aux protéines de mieux jouer leur rôle.

Bien évidemment, une préparation de glace devra être en tout temps mixée pour favoriser l'homogénéité du mélange même si le mélange subira par la suite une homogénéisation.

L'air dans la glace

Pour introduire de l'air dans une préparation, il faut d'une part que la préparation de base puisse le permettre, en ayant suffisamment de viscosité et d'autre part il faut que cet air puisse être maintenu et stabilisé pour préserver la structure.

Si les émulsifiants permettent de lier l'eau à l'huile, ils sont souvent de mauvais agents moussants. Ils peuvent même nuire à la stabilité de la mousse. Les protéines sont considérées comme de meilleurs agents moussants. Les plus connues sont celles du lait et les œufs. Protéines et émulsifiants peuvent être en concurrence. Généralement, on fait le choix d'un émulsifiant lipophile dont le HLB (Hydrophil Lipophil Balance) est bas. Cependant, certaines recherches montrent que des émulsifiants hydrophiles, de la famille des esters de sucre, dont j'ai déjà parlé dans mon premier livre, ayant un HLB supérieur, donneraient des glaces plus agréables à déguster, plus crémeuses et avec une saveur renforcée. En plus, les esters de sucre à haut HLB améliorent le foisonnement et évitent la floculation des protéines (agrégation des protéines). Son utilisation se fait entre 0.1 % et 0.3 %. Il peut être utilisé dans les glaces véganes.

Remarque : J'ai souvent vu des chefs de différents corps de métier de la gastronomie utiliser des émulsifiants sans jamais se préoccuper du HLB. Pourtant, un même émulsifiant existe sous différents HLB certains émulsifiants étant plus lipophiles qu'hydrophiles ou inversement. Il est donc important de savoir ce que l'on utilise.

les ingrédients qui influencent l'ajout et la stabilisation de l'air

La matière grasse permet d'apporter de la matière sèche, mais aussi renforcer la viscosité du mélange. La quantité de matière grasse varie de 8 % à 16 %, Une bonne moyenne se situe autour de 10 % à 11 %. C'est la cristallisation de la matière grasse qui va permettre de préserver les bulles d'airs qui sont entrés dans la préparation au moment du foisonnement.

Le jaune d'œuf, reconnu comme émulsifiant, participe aussi à la viscosité du mélange et à la texture. Il peut avoir son utilité sans, pour autant, que la préparation ait un goût de jaunes d'œufs, si l'on ne dépasse pas 4 %. Il a une influence positive sur le foisonnement.

Les glucoses, à bas DE, entre 20 - 42, agissent souvent comment viscosifiant. Plus le DE est bas, plus la viscosité est importante. Il faut savoir que pour un même DE, il peut arriver qu'un glucose soit plus ou moins visqueux cela dépend de la manière dont l'amidon a été hydrolysé. Ces glucoses contribuent aussi à agir comme stabilisant des produits foisonnés. Ces glucoses contribuent à la texture de la glace particulièrement dans des glaces moins riches en matière grasse. De façon générale, les sucres vont aussi contribuer à la viscosité du mélange.

Les texturants et les gélifiants agissent souvent comme agent de viscosité et comme stabilisateur de la mousse. Le plus connu est la gélatine utilisée à raison de 0.5 % en moyenne. Certains types de pectine permettent aussi d'améliorer la viscosité de la préparation et permettent de la stabiliser. La carraghénane iota est souvent utilisée, car elle réagit avec les protéines laitières et le calcium. Il est important de noter que la carraghénane iota a des synergies avec la pectine, mais aussi avec d'autres texturants. De la même manière, l'alginate et la pectine peuvent créer des gels assez forts qui peuvent améliorer la viscosité de ces préparations. Cependant, ces ingrédients peuvent influencer de façon négative la saveur des produits. .

La liaison de l'eau

C'est sans doute la chose la plus importante à comprendre dans la glace et plus généralement en pâtisserie. J'ai longuement abordé le sujet dans mon dernier livre la pâtisserie du XXIe siècle, les matrices.

Plus l'eau est liée, plus elle est moins disponible à adhérer à d'autres éléments secs et plus il y a d'eau disponible pour l'émulsion et moins l'eau va durcir au cours de la congélation.

C'est la raison pour laquelle cette notion de PAC (pouvoir anti-congelant) ou FDPF (freezing depression point factor) est toute relative si l'on ne comprend pas ce qui se produit. Dans l'absolu, l'idéal serait de mesurer l'activité de l'eau (aW) d'une glace. Plus l'activité est basse, plus la glace sera molle au froid.

Il est important de faire la distinction entre les produits solubles et les produits insolubles. Les produits solubles se dissolvent dans l'eau. Les molécules des produits solubles se lient à l'eau et rendent l'eau moins disponible à adhérer aux éléments insolubles. L'eau est donc moins susceptible de se congeler. Dans ce cas, le point de congélation est abaissé. Les produits insolubles captent l'eau, mais sans s'y dissoudre. C'est-à-dire qu'ils retiennent l'eau et la rendent moins disponible tant pour s'émulsionner que pour permettre aux produits solubles de s'y dissoudre.

Prenons un exemple avec la farine et l'on pourrait prendre le même exemple avec la poudre de cacao. Rappelons que dans la farine autant que dans le cacao il y a des éléments solubles et insolubles même si ces derniers dominent.

Dans les deux cas si l'on ajoute de l'eau en quantité minimum on va obtenir une pâte ferme. A priori, la farine ou le cacao sont des durcisseurs. Ils vont apporter de la fermeté. C'est vrai uniquement dans ces conditions. Maintenant, si l'on ajoutait de l'huile, on s'apercevrait qu'elle n'arrive pas à pénétrer le mélange, ou très difficilement et plus encore avec le cacao. Si l'on venait ajouter du sucre et qu'on tente de le faire pénétrer le mélange, il va se produire un drôle de phénomène. La pâte va petit à petit se désintégrer et en présence de l'huile on aura un mélange qui va complètement se déstructurer.

À présent, reprenons cette expérience en mettant cette fois dans l'eau du sucre. Il est important de comprendre que la solubilité d'un produit dépend à la fois de sa granulométrie et de la température à laquelle la préparation est réalisée. À ébullition, 85 % de saccharose sont solubles et à température pièce 65 % sont solubles. Cependant, la granulométrie a beaucoup d'influence et peut entraîner un retard de la solubilisation des sucres surtout lorsque la température n'est pas élevée. Une fois ce sirop réalisé, on le verse sur la farine ou sur le cacao et cette fois, contrairement à ce qui se produisait précédemment, on n'a plus une pâte ferme. Selon la quantité de sucre présent dans l'eau, la préparation sera plus ou moins molle ou ressemblera à une crème. Cette fois, l'huile peut se disperser sans se séparer.

Lorsque l'eau est mélangée à des produits, majoritairement insolubles, elle devient bien moins disponible pour que l'huile s'émulsionne. L'eau est «prisonnière». Seuls le sucre ou des produits solubles dans l'eau peuvent espérer libérer cette eau. Si le sucre est ajouté à cette matière insoluble, c'est plus compliqué et plus long avant que le sucre n'attire l'eau, et cela sera encore plus complexe s'il y a la présence de matière grasse polymorphe qui pourrait emprisonner le sucre lors des différentes phases de cristallisation. Ce sont les problèmes que l'on peut rencontrer lors de la réalisation de la ganache. En effet, si vous prenez un chocolat et que vous versez de l'eau pour faire une ganache et que la ganache tranche, la raison n'est pas du forcement à un manque d'eau, mais que le sucre du chocolat n'a pas réussi à se dissoudre dans l'eau et à détacher l'eau qui adhère au cacao sec. Reprenez cette fois un chocolat sans sucre, mais qui a la même quantité de cacao sec et de beurre de cacao que le chocolat précédent. Vous mettez le sucre dans la même quantité d'eau que précédemment, pour faire un sirop, que vous versez sur ce chocolat sans sucre. Cette fois, la ganache ne tranche plus, car le cacao sec ne peut plus adsorber l'eau, qui est liée par le sucre, pourvu qu'il ait suffisamment d'eau pour permettre à l'huile et au cacao sec de se disperser dans ce sirop. C'est d'ailleurs la raison pour laquelle selon la quantité d'eau la ganache peut être une pâte ou émulsion.

Dans une glace, ce phénomène est moins présent du fait qu'elle contient beaucoup d'eau. Cependant plus la glace descend en température, plus ce phénomène devient important, car il y a de moins en moins d'eau disponible puisqu'elle est congelée. De manière très imagée, on pourrait dire qu'à -5°C la glace a une texture d'un crémeux, à -15°C d'une ganache pâtissière et à -18°C d'une ganache chocolatière avec, d'une certaine manière, les mêmes problématiques que connaissent ces produits. Dans une glace, plus il y a d'éléments solubles, plus la glace aura une texture molle à des températures basses. C'est pourquoi, les éléments solubles les plus utilisés dans une glace sont les sucres, car ils ont un pouvoir de liaison plus grand que les autres matières solubles. Néanmoins, tous les sucres ne lient pas l'eau de la même manière. Plus le poids moléculaire du sucre est bas, plus il lie l'eau. Mais il n'y a pas que les sucres qui lient l'eau, les gommes peuvent elles aussi contribuer à lier l'eau, mais de façon moins importante. Les gommes peuvent générer beaucoup de viscosité sans que cela signifie pour autant que l'eau est très liée. Une fois encore la mesure de l'activité de l'eau (aW) permettrait de mesurer la capacité de liaison de différents ingrédients. Cependant, ces gommes et le sucre sont en concurrence. Donc si les sucres lient l'eau avant que les gommes n'aient lié l'eau, les gommes vont moins lier l'eau. De la même manière, les sucres mis dans une préparation se voient en concurrence avec les protéines, les gommes, et d'une certaine manière, avec la matière grasse qui peut interférer et nuire à la solubilité des sucres. Ceci a pour conséquence que les sucres ne jouent pas pleinement leur rôle et la saveur sucrée pourrait même moins bien s'exprimer.

Cependant dans les glaces le problème se complexifie, car l'eau libre se gélifie au fur et à mesure que la glace descend en température. À -20°C degrés, près de 80 % de l'eau est congelé. De ce fait si l'on ne souhaite pas que la glace soit dure comme du bois il faut que l'eau soit parfaitement liée et que les éléments secs ne soient pas en excès pour pouvoir se disperser dans l'eau qui n'a pas été gélifiée et former une pâte tendre comme je l'ai expliqué précédemment pour la ganache. Ainsi en fonction de la liaison de l'eau, l'eau sera plus ou moins congelée à -20°C et le produit sera plus ou moins tendre.

Voyons de plus près ce qui est soluble et insoluble, ce qui absorbe l'eau et ce qui adsorbe l'eau. Lorsqu'on fait référence à absorber, on parle de solubilité et lorsqu'on parle d'adsorbé c'est que l'eau est « accrochée », il est en surface et pourrait se détacher.

Les sucres sont solubles dans l'eau. Certains se lient davantage à l'eau que d'autres en fonction de leur poids moléculaire. Plus le poids moléculaire est bas, plus le sucre lie davantage d'eau que la même quantité de saccharose. Le lactose lie peu l'eau, il a tendance à adsorber l'eau. On pourrait presque affirmer qu'il est en concurrence avec les autres sucres pour l'eau. Les protéines de lait vont adsorber et absorber l'eau puisque les protéines sériques sont solubles dansl'eau, De même certains sels de la matière sèche du lait peuvent se dissoudre dans l'eau .

De ce fait, le principe est donc d'arriver au mieux à lier l'eau avec des produits solubles et de préférence à bas poids moléculaire, pour préserver une texture molle. Ainsi plus une eau cristallise, plus la préparation non cristallisée sera tendre, si l'eau disponible est plus ou moins liée, et que les éléments insolubles ont suffisamment de place pour se disperser dans l'eau liée, et que ces éléments solubles n'adsorbent pas trop l'eau non liée et non cristallisée. Plus une eau est liée, moins les ingrédients insolubles durciront la préparation. C'est d'ailleurs la raison pour laquelle la notion de FDPF (freezing depression point factor) a été mise au point pour évaluer la liaison de l'eau et selon des expériences un seuil a été fixé à partir du quel la glace devient molle. Cependant toutes ces valeurs reste relatives, même si cela donne une bonne indication.

La cristallisation de l'eau

La cristallisation de l'eau a une influence sur la texture du produit et sa tenue. L'important est d'obtenir les plus petits cristaux de glace. Cela peut être parfois compliqué dans une pratique artisanale. Pourtant cela est possible.

Le premier principe est celui de la nucléation, c'est-à-dire d'ajouter de la glace dont la cristallisation est déjà produite pour provoquer plus rapidement la cristallisation du produit. C'est un peu ce qui se produit avec le tempérage du chocolat lorsqu'on ajoute un peu de beurre de cacao qui a été tempéré 24h à 33°C. Dans une machine à glace, cela va se produire du fait que la préparation qui adhère aux parois de la turbine va se cristalliser rapidement et apporter à la masse de plus petits cristaux lorsque la pale va racler les parois. Ces petits cristaux vont s'ajouter à la préparation et favoriser la formation de petits cristaux. C'est la nucléation. Pour ma part, j'ai imaginé un tout autre principe qui pourrait accélérer ce phénomène et permettre un meilleur résultat. Le principe est de prendre une toute petite quantité de sa préparation et de le refroidir rapidement (surgélation) pour atteindre -18°C. Le produit est ajouté en petit morceau au mix durant le foisonnement. En principe, ces petits morceaux devraient finir par s'intégrer au reste de la masse, mais aussi provoquer un refroidissement plus rapide et la formation de plus petits cristaux. Cela reste à expérimenter.

Une fois la glace réalisée, il est impératif de la passer en surgélation pour que la glace se refroidisse le plus rapidement pour atteindre -18°C température de conservation.

En artisanat, le produit a une conservation de plus courte durée et n'est pas sujet à être transporté et distribué. Si les problèmes de recristallisation et d'augmentation des cristaux de glace sont souvent le fait de variations plus ou moins importantes de températures, la conservation peut aussi en favoriser l'accroissement. Certes, les stabilisateurs jouent un rôle de temporisateur, mais cela ne suffit pas pour endiguer le problème. Par exemple, il a été démontré qu'une glace stockée à -15°C pendant 35 jours voyait une augmentation significative des cristaux de glace. Bien entendu hormis les stabilisateurs, le type de sucre utilisé va avoir un rôle à jouer, mais pas suffisant pour empêcher le phénomène de se produire. De ce fait plus la température de conservation est basse plus l'effet est ralenti et la conservation est plus longue. Cependant, en artisanat, il est préférable de rester avec des durées de conservation plus courtes pour préserver les qualités organoleptiques et rhéologiques de la glace.

Maturation

Certains glaciers tendent à ne plus utiliser la maturation qui est pourtant essentielle. Cela permet à la matière grasse de cristalliser. Cela favorise la déstabilisation de la matière grasse pour favoriser la coalescence partielle tout en permettant à l'émulsifiant de se substituer aux protéines. La durée est au minimum de 4h et peut aller jusqu'à 24h. La préparation doit être refroidie rapidement à 2°C avant d'être réfrigérée. Ce refroidissement rapide est bénéfique à la cristallisation de la matière grasse et aurait des effets positifs sur la conservation. À son maximum de maturation soit 24h la glace pourrait offrir un meilleur foisonnement et une meilleure structure. Certains glaciers cherchent à pousser plus loin la maturation, ce qui risque de provoquer une coalescence plus importante des globules de matière grasse, et donner une glace plus grasse et un moins bon foisonnement.

Les sucres

Hormis le saccharose, d'autres sucres peuvent être ajoutés dans les glaces. Les sucres à bas poids moléculaire (dextrose) vont permettre d'abaisser le point de congélation et les sucres à haut poids moléculaire (les glucoses à bas DE) vont favoriser la viscosité du mélange et prévenir la cristallisation des sucres.

Dans un certain nombre d'ouvrages sur les glaces, on lit que le glucose à bas DE ne semble pas une obligation, d'autant plus que la quantité de matière grasse est importante. Par contre, il est indispensable dans bien des sorbets. Cependant, la présence de dextrose ou glucose DE 95 est indispensable. Ces glucoses souvent utilisés en quantité importante pour lier l'eau et abaisser le point de congélation. Dans les documents de Danisco, ils vont jusqu'à 8 % de dextrose.

Si je préconise l'utilisation du glucose à bas DE, c'est pour améliorer la texture et pour favoriser de plus petits cristaux de glace. Même si dans les livres scientifiques sur la glace cette dernière caractéristique n'est pas considérée, elle est souvent mentionnée dans les livres qui traitent des sucres. Le glucose à bas DE pourrait être facultatif en fonction de l'équilibre de la recette.

L'idéal serait d'utiliser un glucose avec un DE entre 36 et 42. En dessous de 36, le glucose pourrait apporter beaucoup de viscosité et donner une texture élastique. Cela pourrait être utile dans des glaces pauvres en matière grasse et qui manque de viscosité.

Pour le dextrose, ne perdez pas de vue qu'il existe du dextrose monohydrate et du dextrose anhydre. Ces deux sucres ne sont pas tout à fait identiques.

Le dextrose monohydrate a un poids moléculaire 198 et contient environ 8.5 % d'eau et le dextrose anhydre a un poids moléculaire de 180 et ne contient pas d'eau. Leur capacité de liaison est légèrement différente,

À propos du FPDF (freezing point depression factor, facteur du point de congélation),. Il ne peut être calculé que sur les sucres. En effet, ce facteur est là pour donner une information sur le degré de liaison de l'eau par les sucres. C'est cette valeur, dont il faut en tenir compte pour s'assurer que la glace reste molle à des températures sous zéro. Les stabilisateurs, même s'ils lient l'eau, ont un pouvoir bien moins important que les sucres. Ils n'ont que peu d'effet sur l'abaissement du point de congélation. De la même manière, c'est trompeur de tenir compte du PAC pour le cacao puisque le cacao ne lie pas l'eau: il retient l'eau. Comme expliqué précédemment, la présence d'eau suffisamment liée permet d'obtenir une glace moins dure, car la liaison de l'eau par le sucre prive l'eau d'adhérer au cacao et il durcit moins.

Quant au sucre inverti, c'est un mélange de glucose et de fructose et de ce fait contrairement au dextrose il a davantage des propriétés anti-cristallisantes.

Les industriels ont établi que la somme du FPDF des sucres d'une glace doit être autour de 20 - 24 pour déterminer si une glace est « cuillerable » à des températures inférieures à zéro.

Éventuellement, il serait possible au lieu d'utiliser un glucose à bas DE et du dextrose, d'utiliser du glucose DE 63. À vous de faire vos tests. (poids moléculaire 286, FPDF 1.2, Pouvoir Sucrant 0.7)

La glace et le sorbet sans additif, le nouveau stabilisateur.

Petite histoire des stabilisateurs dans les glaces

Vous savez combien je suis passionné par l'histoire que je juge importante à connaître même quand on fait de la science ou de la technologie. En effet, faire un retour vers le passé permet de comprendre comment les choses ont évolué et les raisons de cette évolution. Parfois, le retour en arrière n'est pas une régression, mais une évolution. Je m'explique. Si les raisonnements ont été mal posés ou que l'évolution a été faite pour des raisons de facilité et des raisons économiques, ou encore que la voie choisie a été celle qui paraissait la plus évidente, dans ce cas le retour au passé permet de reprendre en main le raisonnement à la base et de le conduire dans une évolution d'avenir.

À l'origine, les glaces étaient riches en matière grasse et en jaunes d'œufs. Dans le début du XXe siècle, spécialement aux États unis, on a commencé à mener de la recherche sur les glaces. Les jaunes d'œufs ont eu tendance à être diminués ainsi que la matière grasse pour équilibrer les préparations glacées. C'est ainsi qu'est arrivée la fécule. On a imaginé qu'il serait possible de l'utiliser dans les glaces. Cependant à cette époque la fécule n'avait pas connu toute l'évolution qu'elle connaît de nos jours. De plus, il n'y avait pas d'études sur les différents types de féculents utilisés pour concevoir divers amidons. De plus, la texture offrait un effet crème pâtissière ou pudding. C'est ainsi que petit à petit la gélatine s'est imposée. Dans les années 1960 à 1970, c'est la création des additifs (stabilisateurs) qui ont fait disparaître la gélatine au profit de toutes ces gommes. Certaines d'entre elles étaient déjà utilisées à l'état pur dans certains produits. L'industrie les a transformées et les a adaptées pour générer ces produits, que nous connaissons de nos jours. L'artisan a emboîté le pas, convaincu par les cocktails de l'industrie. Adieu la gélatine ! Au début des années 2000, la recherche a commencé à beaucoup travailler sur le riz (amidon et farine), car, le riz, que cela soit sa farine ou son amidon offre de très nombreux avantages en plus d'être hypoallergène. Dans ces mêmes années, on a développé en Allemagne tout un procédé de transformation non chimique des farines grâce à des traitements thermiques et à des traitements de trempage et de séchage, qui ont permis de modifier les propriétés des farines. On a commencé à les appliquer aux fécules. Cela a ouvert de nombreuses voies et donné plus de possibilités aux amidons de riz sans avoir à mentionner la mention amidon modifié puisque le traitement est complètement naturel. Ainsi avec la venue du Clean Label les amidons de riz et certaines farines de riz se sont taillées une place importante dans l'industrie pour remplacer un grand nombre de ce que le public considère comme des indésirables, d'autant plus que ces produits résistent au haut taux de cisaillement et à l'acidité. Aujourd'hui, ces produits sont réservés à l'industrie, mais il faut espérer que des distributeurs vont les rendre accessibles aux pâtissiers et aux glaciers, ce qui timidement est en train de se faire.

L'amidon de riz cireux dans les glaces

Depuis des années, j'étudie les amidons de riz et leur capacité à apporter de l'onctuosité et du crémeux aux préparations. La finesse de la fécule de riz est idéale pour remplacer la matière grasse. Plus encore, l'amidon de riz cireux (glutineux) est un merveilleux agent viscosifiant qui donne de la douceur et du crémeux aux préparations sans gélification, un peu comme si l'on préparait une crème anglaise sans œufs. Cet amidon à la particularité d'être un excellent agent de liaison pour les glaces tout en préservant les propriétés rhéologiques de la glace. C'est aussi un produit hypoallergénique. Il en existe différentes sortes. Actuellement, pour les pâtissiers, une seule est disponible pour les artisans. C'est l'amidon de riz cireux vendu par Sosa (version à chaud, mais il existe une version aussi à froid non commercialisée pour le moment). J'ai parlé longuement de ces amidons dans mon livre, la pâtisserie du XXIe siècle les matrices. Roland Del Monte, Meilleur Ouvrier de France, l'utilise dans ses glaces et ses sorbets en lieu et place des stabilisateurs. Les avantages sont la texture, la stabilité et le goût qu'il apporte aux glaces et surtout au sorbet. La particularité de l'amidon, même dans une ganache, c'est qu'il créerait un réseau qui permettrait de structurer le produit et permettrait un plus grand moelleux sans un apport important de matière grasse. Sa capacité de lier l'eau pourrait probablement rendre l'eau moins disponible à ce qu'elle adhère à des produits insolubles qui viendraient s'y disperser. Il n'est pas nécessaire de porter à ébullition le produit, 85°C à 90°C suffit en fonction de la recette.. L'ébullition pourrait détruire les propriétés des protéines sériques du lait.

La nouvelle glace expérimentale

Depuis 10 ans, j'étudie les phénomènes qui se produisent dans les pâtes et les crèmes. Cela m'a permis de définir la matrice de ces produits. Les travaux que nous avons menés avec Wielfried Hauwel sur le chocolat pour notre livre NeoCacao m'ont convaincu que les sucres ne doivent pas être ajoutés n'importe comment. Les sucres devraient être dissous dans l'eau pour former un sirop avant leur utilisation. Cela permet d'assurer une meilleure liaison des sucres, une meilleure expression du goût sucré, ce qui pourrait éventuellement abaisser le taux de sucre. Si ce principe est vrai pour bien des produits, pourquoi cela ne serait-il pas vrai pour la glace ? J'ai donc décidé de mettre de façon expérimentale une glace à base de sirop qui permettrait en plus de faire plus aisément les calculs. Ce sirop à 62 brix pourrait être utilisé aussi bien pour les glaces que pour les sorbets et permettrait d'obtenir des glaces plus moelleuses et plus fondantes.

Glace Expérimentale

Je vais vous proposer différentes possiblités à vous de mener des tests afin de voir ce qui vous convient le mieux selon votre organisation et en fonction des textures et des saveurs que vous recherchez.

3 sirops possibles

SIROP A

Sirop de Base 62 Brix riche en dextrose et comportant du glucose à bas DE

38 g d'eau

21 g sacharose

28 g dextrose

13 g glucose De entre 36 – 42

(si émulsifiant/stabilisateur : 1.5 g eau : 36.5. Le stabilisateur doit être dissous dans une partie de l'eau du sirop et doit être porté à ébullition puis ajouté au sirop qui a son tour est porté à ébullition. Assurez-vous toujours d'avoir au final la bonne quantité d'eau quitte à compenser l'eau évaporée.)

62 Brix PS : 50   ratio 1.24

290 g de sirop de base pour un pouvoir sucrant de 14.5 18% de sucre

.SIROP B

Sirop de Base 62 Brix moins riche en dextrose et comportant du glucose à bas DE

38 g d'eau

27 g sacharose

22 g dextrose

13 g glucose De entre 36 - 42

(même recommandation que pour le sirop A)

62 Brix PS : 51   ratio 1.21

275 g de sirop de base pour un pouvoir sucrant de 14 17% de sucre

SIROP C

Sirop de Base 62 Brix riche en dextrose sans glucose à base DE

38 g d'eau

34 g sacharose

28 g dextrose

(même recommandation que pour le sirop A)

62 Brix PS : 56   ratio 1.1

258 g de sirop de base pour un pouvoir sucrant de 14.5 16% de sucre

On se rend compte que le sirop C offre le produit le moins sucré et garantit autant une glace cuillerable que le SIROP A et plus que le SIROP B .

Calculons la glace pour les 3 sirops

Pour 1kg de glace à partir du sirop A

Déterminer le % de matière grasse souhaité -1% (facteur d'ajustement)

Ex 10% - 1% = 9%

soit 90g Pour connaitre la quantité de crème 90g / 0.35 = 257 de crème

 Déterminons l'extrait sec

Pour avoir un parfait équilibre entre le sirop et la structure d'autant plus que nous utiisons de l'amidon comme stabilisateur nous partons sur un extrait sec de 36.5%

La glace est sur un extrait sec de 36.5% soit 365g d'extrait sec et 635 d'eau

290g de sirop (110 d'eau, 62 brix) 257 g de crème (152 d'eau, il y a 59% d'eau dans une crème à 35% environ)

Combien d'eau restant 635 - (110 + 152)= 373g d'eau restant

Cette eau c'est l'eau du lait 373 / 0.88 (eau du lat) = 424g de lait

290g de sirop

257g de crème

424g de lait

20g de fécule stabilisateur

290 + 257 + 424 +20 = 991

Au lieu d'utiliser de la poudre de lait, il est plus intéressant dans ce cas d'utiliser de l'isolat de lactosérum. C'est à dire de la protéine sérique pure. L'avantage est d'offrir une meilleure glace à plus d'un égard texture, saveur, onctuosité... C'est la différence de tous les ingrédients moins le poids de la glace.

1000- 991 = 9g d'isolat de lactosérum.

Glace

290g de sirop

257g de crème

424g de lait

20g d'amidon de riz glutineux

 9 g d'isolat de lactosérum

18% de sucre 10.5% de mg butyrique 6% de ESDL Proteine laitière 2.66%

Pour 1kg de glace à partir du sirop B

Déterminer le % de matière grasse souhaité –1% (facteur d'ajustement)

Ex 10% – 1% = 9% soit 90g Pour connaitre la quantité de crème 90g / 0.35 = 257 de crème

 Déterminons l'extrait sec

Pour avoir un parfait équilibre entre le sirop et la structure vu que nous utiisons de l'amidon comme stabilisateur nous partons sur un extrait sec de 36.5%

La glace est sur un extrait sec de 36.5% soit 365g d'extrait sec et 635g d'eau

275g de sirop (104 d'eau, 62 brix) 257 g de crème (152 d'eau, il y a 59% d'eau dans une crème à 35% environ)

Combien d'eau restant 635 – (104 + 152)= 379g d'eau restant

Cette eau sera l'eau du lait 379 / 0.88 (eau du lat) = 431g de lait

275g de sirop

257g de crème

431g de lait

20g d'amidon de riz glutineux

275 + 257 + 431 + 20 = 983

Cette fois on va utiliser uniqement de la poudre de lait . C'est la différence de tous les ingrédients moins le poids de la glace.

 1000- 978 = 17g de poudre de lait

Glace

275g de sirop

257g de crème

431g de lait

20g d'amidon de riz glutineux

 17 g de poudre de lait

17% de sucre 10.2% de mg butyrique 6.6% de ESDL Proteine laitière 2.4%

Pour 1kg de glace à partir du sirop C

Déterminer le % de matière grasse souhaité -1% (facteur d'ajustement)

Ex 10% - 1% = 9%

soit 90g Pour connaitre la quantité de crème 90g / 0.35 = 257 de crème

Déterminons l'extrait sec

Pour avoir un parfait équilibre entre le sirop et la structure vu que nous utilisons de l'amidon comme stabilisateur nous partons sur un extrait sec de 36.5%

La glace est sur un extrait sec de 36.5% soit 365g d'extrait sec et 635g d'eau

258g de sirop (98 d'eau, 62 brix) 257 g de crème (152 d'eau, il y a 59% d'eau dans une crème à 35% environ)

Combien d'eau restant 635 - (98 + 152)= 385g d'eau restant

Cette eau sera l'eau du lait 385 / 0.88 (eau du lat) = 437g de lait

258g de sirop

257g de crème 242

437g de lait 447

20g d'amidon de riz glutineux

258 + 257 + 431 + 20 = 966

Cette fois on va utiliser uniqement de la poudre de lait . C'est la différence de tous les ingrédients moins le poids de la glace

1000- 966 = 34g de poudre de lait

Glace

258g de sirop

257g de crème

431g de lait

20g d'amidon de riz glutineux

34 g de poudre de lait

16% de sucre 10.5% de mg butyrique 8.3% de ESDL Proteine laitière 3%

Deux glaces au sirop se démarquent

Glace Sirop A

18% de sucre 10.5% de mg butyrique 6% de ESDL Proteine laitière 2.66%

Glace Sirop C

16% de sucre 10.5% de mg butyrique 8.3% de ESDL Proteine laitière 3%

L'avantage de la glace au sirop A c'est que probablement le taux de foisonnement sera meilleur du fait qu'il n'y a pas de trop de protéines. Dans le cas de la glace au sirop C on est à la limite du taux de protéines, éventuellement un émulsifiant pourrait être envisagé, même si au vu de certaines études la coalescence pourrait se produire, mais faiblement.

L'avantage de la glace au sirop C c'est qu'il offre un produit moins sucré tout en étant aussi cuillerable que la glace au sirop A. Le fait que la glace au sirop C ait plus de protéines, et donc de ESDL pourrait avoir une influence positive sur sa structure.

Pour adapter la recette du sirop C sans changer la recette, il faudrait remplacer, 1 % de poudre de lait, par 1 % d'isolat de lactosérum. Dans ce cas, il n'y aurait pas besoin d'émulsifiant du fait que l'isolat de lactosérum favorise la coalescence partielle.

En l'absence d'isolat de Lactosérum, il est possible d'ajuster la recette contenant le Sirop C en baissant l'extrait sec de 0.5 % pour avoir 36 % d'extrait sec total.

258g de sirop 257g de crème 443g de lait 20g de fécule 22g de poudre de lait

16 % de sucre 10.5 % de mg butyrique 7.3 % de ESDL Proteine laitière 2.62 %

Ce sirop permet d'offrir de nouvelles perspectives et peut être adapté facilement selon les besoins. De plus, l'utilisation d'isolat de lactosérum permet d'agir sur la coalescence en cas d'excès de protéines. De nouvelles perspectives s'ouvrent à vous, il vous reste plus qu'à expérimenter.

Le chocolat dans les glaces

Le chocolat est avec les pralinés, et les pâtes de noisettes et d'amandes un défi pour les glaciers pour avoir un produit goûteux, crémeux et qui ne soit pas dur.

Pour comprendre ce qui se produit avec une glace au chocolat, revenons sur les notions que nous avons vues précédemment. Lorsque l'eau est liée par des sucres la quantité d'eau qui ne va pas durcir va être plus ou moins importante en fonction des sucres choisis. Dans l'industrie, on calcule à l'aide de formule mathématique le point de congélation d'une glace en fonction de la baisse de température. Essayons de comprendre ce qui se produit. La quantité de produits solubles dans une glace est plus ou moins importante, mais pas suffisante pour lier l'eau suffisamment. Ceci a pour conséquence que l'eau non liée va gélifier. Cette eau gélifie jusqu'à un certain point en fonction de la température et de l'eau liée. L'eau liée qui ne se gélifie pas va permettre aux éléments secs non solubles du cacao ou du praliné de se disperser dans cette préparation. On présume qu'une partie de ces éléments est sans aucun doute prisonnière de l'eau qui a durci ou de la matière grasse qui a cristallisé. Ceux-ci ne seront donc pas disponibles. Dans cette eau liée non gélifiée, l'eau doit être suffisamment liée pour éviter au maximum à ce que l'eau adhère aux matières insolubles libres et ne durcissent la préparation. Si l'eau n'adhère pas à cette matière insoluble, on aura une pâte plus ou moins tendre. Rappelons-nous que même si cette eau est liée, selon la quantité de cacao sec, il peut arriver qu'il n'y ait pas suffisamment d'eau liée et le mélange peut plus ou moins durcir. De plus, la matière grasse laitière qui n'est pas cristallisée (cristallisation de la matière grasse -40°c à +40°C) va vouloir se disperser dans ce mélange. Cette description peut paraître caricaturale, voire simpliste, mais elle explique bien le phénomène. De la même manière pour une ganache, plus l'on abaisse l'eau, plus la ganache va durcir. Pour éviter ce problème, l'eau doit être suffisamment liée. Cette eau liée se constate avec la chute de l'aW. Et comme cette eau est bien liée, elle favorise la conservation (voire le livre NeoCacao).

Dans cette optique la glace au chocolat doit contenir le moins de matière grasse possible, et moins d'extraits secs possible. La capacité des protéines du chocolat est mal connue. Pourtant, elles peuvent agir comme émulsifiant, comme structurant et probablement comme agent de foisonnement. Dans une telle perspective, il n'est plus nécessaire d'avoir recours aux protéines du lait. Cependant, une question reste en suspens : est-ce que les protéines du cacao favorisent ou non la coalescence. Dans la négative l'utilisation d'un émulsifiant devient nécessaire ou l'utilisation d'isolat de lactosérum.

Dans le cas de la glace au chocolat, le sirop devient essentiel ainsi que nous l'avons démontré dans la ganache dans le livre NeoCacao.

Construisons notre glace au chocolat en utilisant le sirop C

Cette fois on va modifier le sirop pour avoir plus de Dextrose.

Sirop de Base 62 Brix riche en dextrose sans glucose à bas DE

38 g d'eau

24 g sacharose (ancienne valeur 34)

38 g dextrose (ancienne valeur 28)

(si elmulsifiant/stabilisateur : 1.5 g eau : 36.5, ces deux préparations.. Le stabilsateur doit ête dissous dans une partie de l'eau du sirop et le tout porté à ébulition puis il est ajouté au sirop qui a son tour est porté à ébulition. Assurez-vous toujours d'avoir au final la bonne quantité d'eau. S'il est nécessaire compenser l'eau manquante)

62 Brix PS : 54 ratio 1.15

On veut obtenir une glace avec un pouvoir sucrant de 14.5 et 17% de sucre

Déterminer la quantité de chocolat

Généralement dans une glace on est à 3% de cacao sec. Ici nous allons chercher à avoir une glace plus chocolatée en ayant 4% de cacao sec.

Nous allons utiliser le chocolat Guanaja de Valrhona 42% beurre de cacao et 28% d'extrait sec

Soit 40g de cacao sec. Oour connaitre la quantité de chocolat 40/0.28 = 143 de chocolat

Soit 143 * 30%, quantité de sucre dans le chocolat = 43 g de sucre

Notre recette doit contenir 170g de sucre

Quantité de sucre restant 170-43= 127g

On va déterminer la quantité de sirop 127 /0.62 =205 Sirop C

 Déterminer le % de matière grasse souhaité -1% (facteur d'ajustement)

Ex 3.5% - 1% = 2.5%

soit 25g Pour connaitre la quantité de crème 25g / 0.35 = 71g de crème

Détermination combien de lait nous avons besoin

205g de sirop

 71g de crème

143g de chocolat

20g de fécule stabilisateur

205 + 71 + 143 + 20 = 439

 1000- 561 = 561g lait

Glace

205g de sirop

71g de crème

561g de lait

143g de chocolat

20g d'amidon de riz glutineux

17% de sucre 5% de mg butyrique 5% de ESDL Proteine laitière 1.8% Proteine chocolat 1%

Extrait sec total : 38.6 %

Dans un tel exercie, il important de préparer une ganache avec le sirop bien mixé

Mélanger tous les autres ingrédients et monter à 70°C avant d'ajouter la ganache et de mixer et pasteuriser.

Cette opération est importante pour favoriser la liaison de l'amidon.

Voyons ce que donne cette recette avec une pâte de Cacao ce qui permettrait d'abaisser plus encore l'extrait sec.

Pâte de cacao 54% beurre de cacao et 46 % de cacao

Pour 40g de cacao sec, la quantité de chocolat 40/0.46 = 87 de chocolat

On va déterminer la quantité de sirop 170 /0.62 =274 **Sirop C original non modifié**

 Déterminer le % de matière grasse souhaité –1% (facteur d'ajustement)

Ex 3.5% – 1% = 2.5%

soit 25g Pour connaitre la quantité de crème   25g / 0.35 = 71g de crème

Déterminons de combien de lait nous avons besoin

274g de sirop

 71g de crème

87g de chocolat

20g de fécule stabilisateur

274 + 71 + 87 + 20 = 452

 1000– 452 = 548g lait

Glace

274g de sirop

71g de crème

548g de lait

87 de pâte de cacao

20g d'amidon de riz glutineux

17% de sucre 4.4 % de mg butyrique 4.8% de ESDL Proteine laitière 1.7% Proteine chocolat 1%

Extrait sec total : 33.3 %

Qu'est-ce que nous constatons ? Avec la pâte de cacao, nous pourrions augmenter la quantité de chocolat, mais aussi la quantité de crème et nous obtiendrons une glace chocolatée avec une texture adéquate sans être ni très grasse, ni très dure.

Si l'on augmentait la quantité de crème à 5%, on obtiendrait

274g de sirop 114g de crème 505g de lait 87g de pâte de cacao 20g d'amidon

on aurait 38.5% d'extrait sec total

Si l'on augmentait la quantité de caco sec à 4.5%

274g de sirop 71g de crème 538g de lait 97g de pâte de cacao 20g d'amidon

on aurait 38% d'extrait sec total.

On peut constater qu'avec la pâte de cacao on obtient une flexibilité plus importante encore.

Ces différents calculs avec ces sirops nous montrent que le choix d'un sirop peut être la solution dans le cas des glaces au chocolat pour éviter d'obtenir des glaces dures. Ces glaces au chocolat peuvent ressembler à un compromis entre le sorbet au chocolat et la glace au chocolat. Elles peuvent entrouvrir la porte à des glaces véganes au chocolat en ajoutant de la farine de riz à très fine granulométrie et compenser la matière grasse butyrique par de la graisse végétale polyinsaturée, ce qui apporterait à la glace, plus de crémeux.

Ex : 274g de sirop 40g de farine de riz, fine granulométrie (type sucre glace) 97g de pâte de cacao 20g d'amidon de riz 50g d'huile végétale 519g d'eau

on aurait alors un extrait sec total de 38 %.

De la même manière, on pourrait jongler avec les sirops pour obtenir des glaces à la pâte de noisettes ou au praliné

Conclusion

Poser un nouveau regard sur la technologie des glaces permet d'innover et rompre avec les carcans qui nous tiennent prisonniers. C'est ainsi que l'artisanat pourra s'épanouir et prendre ces distances avec l'industrie.

Dans ce document, j'ai voulu apporter un nouveau regard sur la technologie, mais aussi apporter de nouvelles solutions comme l'utilisation de l'amidon de riz glutineux et la glace expérimentale au sirop.

Maintenant, la balle est dans votre camp, chers amis glaciers, pour explorer ces pistes, les affiner, les adapter à votre travail et développer vos propres méthodes.

Comme je l'ai expliqué dans mon livre sur les matrices et comme je l'ai démontré dans ce fascicule, pour comprendre les matrices des produits de la pâtisserie, il est important de comprendre l'interaction entre les sucres, l'eau, la matière grasse et les matières sèches qui ne sont pas ni les sucres ni la matière grasse. Ces ingrédients s'imbriquent d'une telle façon qu'ils permettent de donner toutes sortes de structure et de texture qui vont influencer l'expression des saveurs.

La glace a été toujours vue de manière très normée au point de n'avoir pas beaucoup de marge de manœuvre. Nous constatons que ces normes sont toutes relatives même s'il y a des réalités scientifiques que l'on ne peut pas récuser, mais qu'il ne faut pas craindre de déroger avec la possibilité de découvrir de nouvelles pistes insoupçonnées. C'est la raison pour laquelle je préfère faire référence aux matrices. Les matrices ouvrent de grandes possibilités pourvu que l'on comprenne comment elles se construisent et les effets de leur ordonnancement.

Milton Keynes UK
Ingram Content Group UK Ltd.
UKHW021526180224
437755UK00012B/31